Coordinador de la colección: Daniel Goldin
Diseño: Joaquín Sierra, sobre una maqueta
original de Juan Arroyo
Diseño de portada: Joaquín Sierra
Dirección artística: Mauricio Gómez Morín

A la orilla del viento...

Primera edición en francés: 1994
Primera edición en español: 1997
Segunda reimpresión: 2001

Este libro se publicó con el apoyo
de la Embajada de Francia en México

Título original: *Peau.de Rousse*
© 1994, Editions Mango, París
ISBN 2 7404 0346 1

D.R. © 1997, Fondo de Cultura Económica
Av. Picacho Ajusco 227; México, 14200, D.F.

ISBN 968-16-5417-X
Impreso en México

MARIE-AUDE MURAIL

ilustraciones de
Claudia Legnazzi
traducción de
Rafael Segovia Albán

PELIRROJITA

FONDO DE CULTURA
ECONÓMICA

Una perla rara

❖ Lo RECUERDO, fue en vacaciones.
Hacía 30°C en el día y 25°C por la noche.
Una mañana, cuando estábamos
en la playa de arena clara,
se acercó una niña pelirroja
acompañada por su mamá.

   —Esta niña es delicada
—me dijo mi abuela—.
Es una pelirroja.

   Por un instante dejé
de mecerme en mi hamaca
para ver con más detalle
una "pelirrojita".
En efecto, era blanca
como la leche.

A esa hora éramos los únicos en la playa.

—Buenos días —dijo Abue.

La pelirrojita la miró sin decir nada. Pero su mamá nos sonrió. Inmediatamente me di cuenta de que tenía ganas de hablar con Abue. Así era siempre con Abue. Todo el mundo venía a contarle sus pesares.

—¡Qué lugar tan encantador! —dijo la señora en tanto se sentaba a la sombra de nuestra palmera—. Es una lástima que mi marido no haya podido venir. Es dentista, y... Perla, mi amor, ¿ya saludaste al niño?

—Perla, ¡qué bonito nombre! —exclamó Abue.

La pelirrojita sonrió cortésmente.

—Es mi perla —dijo la señora—, ¡deseaba tanto tener una hijita!

—Una perla rara —dijo Abue para halagarla.

Mientras platicaba, la señora Perla jugueteaba con el collar que traía al cuello. Precisamente, un collar de perlas.

—Bruce, ve a jugar con la niña —me dijo Abue.

Abue me estaba mandando a pasear. Yo sabía bien que era para hablar con la señora de todo tipo de desgracias. Perla echó a andar hacia el mar.

—¡No te asolees mucho! —exclamó la señora—. Ni estés mucho tiempo en el agua, mi amor...

—Déjela —dijo Abue—. ¿Así que su marido es dentista?

—Sí, y trabaja catorce horas al día —contestó la señora Perla—. Apenas lo veo a la hora de la cena. Imagínese...

Me alejé. Una mano sujetó la mía.

—Corre —dijo—, vamos a escondernos.

Perla había hecho un escondite: un agujero profundo en la arena. Tres árboles nos protegían de las miradas.

—¿Viste los árboles? —le dije a Perla—. Tienen un círculo rojo.

—Quiere decir "veneno", "muerte", "peligro".

—¿Cómo lo sabes?

—Ti'Bó me lo dijo.

—¿Quién es Ti'Bó?

—Es el jardinero del mar.

"Está loca", pensé. ❖

A pescar tesoros

❖ YO ESTABA más bien de pocas pulgas.

—¿A qué jugamos? —preguntó Perla.

—A nada. Ni siquiera eres bonita.

Miré a Pelirrojita. No se veía enojada.

—Juguemos a buscar tesoros —me dijo.

—No hay tesoros —dije entre dientes.

—Sí hay, en el mar. Con todos los barcos que se han hundido, ¡hay vajillas de plata, monedas de oro y collares de diamantes!

Me tomó por la muñeca:

—¡Ven! Vamos a encontrarlos.

Corrimos hasta el mar. El agua era color turquesa cerca de la playa, y azul marino en el horizonte. Se me ocurrió una idea para encontrar los tesoros:

—Tengo un visor para ver debajo del agua.

—Eso no sirve —me contestó Perla.

Y zambulló su cabeza en la ola. Cuando

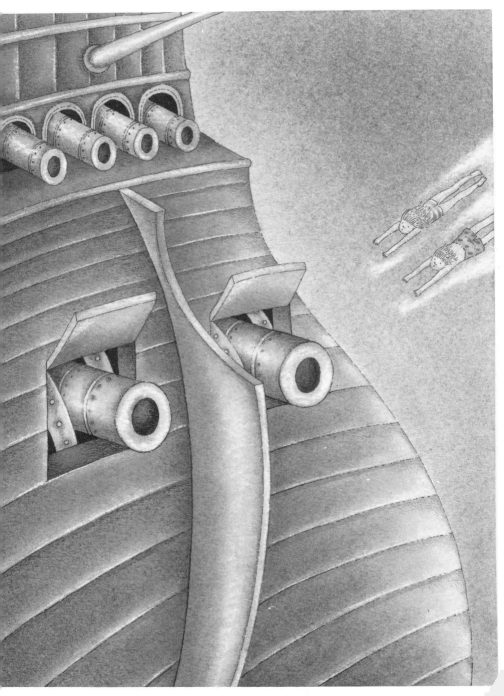

volvió a quedar de pie, el mar le chorreaba por la cara, por los ojos abiertos.

—¿Pica? —le pregunté.

—¡Para nada! Hazlo tú, para que veas...

Yo también acerqué mi rostro a la espuma. El mar vino a lamerme los ojos.

—¡Esto quema! —grité—. Hiciste trampa. Cerraste los ojos.

Sin contestar, Perla se zambulló en el agua; su cabello en derredor flotaba, como algas de color rojizo. De repente me entró miedo: "¿Volverá a salir?"

Miré hacia la playa. ¿No sería mejor pedir auxilio?

Pero Perla estaba nadando. Recogía objetos de la arena como si cosechara algo.

"¡Se va a ahogar, se quedará sin aire!"

Pero al fin logró romper la ola con sus puños cerrados.

—¡Mira!: diamantes…

Abrió las manos. Había encontrado una conchas minúsculas de color rosa, una rama de coral y una pinza azul de cangrejo.

—¡Perla, querida! —llamó desde lejos una voz preocupada.

—Es tu mamá —dije yo, mientras cogía los tesoros

de sus manos—. Voy a poner los diamantes en el escondite.

Esa noche, en nuestra terraza, Abue me preguntó si me había gustado jugar con la niña. Y agregó:

—Parece ser que nada como un verdadero pez.

—¡Eso es seguro! Puede quedarse cinco minutos debajo del agua.

Abue meneó la cabeza y sonrió.

—No, eso es imposible. Ella está presumiendo.

—Pero yo la vi en el agua. Se quedó cinco minutos.

Abue se burló de mí:

—¡Entonces debe tener branquias, esa chiquita! No contesté nada.

—Bueno, ya quita esa cara —me dijo. ❖

Una desgracia

❖ AL DÍA siguiente esperé a Pelirrojita toda la mañana. Había sucedido una desgracia, una de verdad. La señora Perla había perdido su collar.

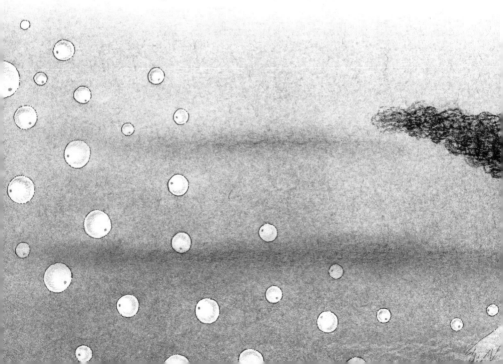

—¿Lo buscó usted bien? —le preguntó Abue.

—Nunca me lo quitaba —contestó la señora Perla enjugándose las comisuras de los ojos—. Imagínese: mi marido me lo había regalado por el nacimiento de mi hija. ¡Ay, ay, ay! ¿Qué irá a decir?

La señora Perla se pasaba la mano por el cuello como si el collar todavía estuviera ahí. Luego dijo:

—Lo perdí mientras nadaba. El hilo debió romperse.

Era una gran desgracia. Abue y la señora Perla iban a hablar de eso toda la tarde. Pelirrojita y yo estaríamos muy tranquilos.

—¿Jugamos otra vez a buscar diamantes?

—Mejor vamos a buscar perlas —me dijo Pelirrojita.

—Bueno, imagina que somos pescadores de perlas y que vamos a buscarlas en el fondo de unas ostras gigantes. Pero hay alguien que quiere robarnos.

—Sí, sí, Ti'Bo —dijo Perla.

—¿Pero, dónde está Ti'Bo?

Corrimos. Allá a lo lejos, el sol relumbraba en un techo de lámina. Cerca de su cabaña, un hombre pintaba una barca. Le dije al oído:

—¿Es él?

En ese momento, el hombre alzó su cabeza negra con algunas canas. Hizo un ademán como si nos embadurnara de pintura con su pincel.

—¡No me atraparás! —le gritó Perla.

Regresamos al borde del agua. Yo quería nadar y aguantar la respiración tanto tiempo como Perla. Me había puesto mi visor.

"Voy a aguantar hasta treinta para empezar", pensé, "uno, dos, tres…"

Al llegar a ocho, salí del agua jadeando.

Perla seguía buceando.

—¿Cuánto tiempo puedes aguantar?

—Cinco horas.

Alcé los hombros. ¡Cinco horas!

Quería tomarme el pelo. Se lo dije.

—Una hora todavía pero no cinco…

—Sí, cinco. Puedo respirar en el agua. Por las noches

salgo de mi casa por la terraza y voy a bucear a los
abismos marinos.

—¿Los qué?

—Para llegar a los "abismos marinos" hay que
sumergirse miles de metros. Todo está oscuro. El agua
pesa como mil cobijas. A veces se ven sombras iguales a
las que se proyectan sobre una pared con las manos. Son
monstruos marinos. Y, otras, hay unas lucecitas que
titilan. Son peces linterna.

—¡Ah, quisiera ir allá contigo!

Pero una voz llamó desde lejos:

—¡Perla, regresa aquí!

Suspiré. ¡Qué lata da, esa señora Perla!

—¡Caray! —dijo Pelirrojita, nadando de vuelta hacia la playa. ❖

El descubrimiento

❖ FUE AL día siguiente cuando hicimos un descubrimiento. Como de costumbre, estábamos pescando tesoros. Ya habíamos encontrado un cangrejo y media estrella de mar.

—Adivina qué encontré —dijo Perla, poniéndome su mano cerrada frente a la nariz.

—¿Un diamante?

—No.

—¿Un rubí?

—No.

Abrió la mano. Era una perla.

—¡Es una perla del collar de tu mamá! —exclamé muy emocionado. Me disponía a correr por la playa para ir a avisar a la señora Perla. Pero Pelirrojita me atrapó por un brazo y me detuvo.

—Es de un barco hundido —me dijo—, el *Titanic*. Había una cantante muy rica a bordo, y tenía diez mil perlas. ¿Vamos a buscar las otras?

Fui yo el que descubrió el collar con mi visor. Se había enredado en unas algas. El hilo se había reventado, pero solamente se habían caído dos o tres perlas.

—Hay que poner todo en nuestro escondite —sugirió Perla—, si no Ti'Bo nos va a robar.

Entonces hice un agujero aún más grande al pie del segundo árbol. Dejamos que el collar se desgranara y las perlas se mezclaron con nuestras conchitas. Era muy bonito. Volvimos a tapar el hoyo con arena.

—¡Bruce!

—¡Perla!

Dos voces llamaban desde el otro lado de la playa. Eran Abue y la señora Perla, que se veían muy enojadas.

—¿A dónde se metieron? Tienen que estar siempre donde podamos verlos, ¿entendido?

—Sí —dijo Perla.

Yo no dije nada. Abue me zarandeó por un brazo.

—Y tú, ¡ya quita esa cara!

Si siguen así las cosas, me voy a ir al fondo del mar y no regresaré jamás. ❖

Los abismos marinos

❖ —SOLO TIENES que venir a la playa esta noche —me dijo Pelirrojita—. Estaré esperándote en nuestro escondite.

—¿Vamos a ir a los abismos marinos?

—Sí, pero tendremos que cuidarnos de Ti'Bo. Sale de noche. Es un verdadero bandido.

Perla me había explicado que para nadar bajo el agua se debe respirar por la parte superior del cráneo. Yo había estado entrenando en la bañera. No funcionaba para nada. Pero en los abismos marinos todo saldría bien.

Esa noche me escabullí fuera del mosquitero con el traje de baño puesto. Mi ventana daba a la playa. Caí de rodillas y corrí hasta el escondite. Cuando estuve en mi agujero de arena, aparté con el pie las "manzanitas" que habían caído de los dos árboles. Abue me había explicado que eran venenosas y que el círculo rojo significaba peligro.

—Voy a ir a los abismos marinos.

Me sobresalté. Había hablado en voz alta asustándome a mí mismo. Me dio risa, pero se me quitó casi al instante. ¡Qué extraña risa! De pronto, algo cayó cerca mí. Era Perla en camisón.

—Allí está él —me dijo al oído.

—¿Ti'Bo?

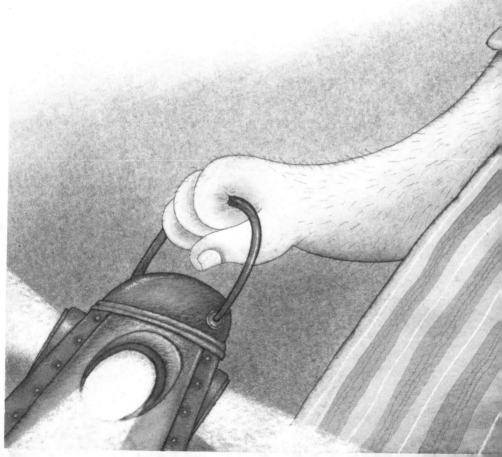

Un hombre venía hacia nosotros, con una lámpara en la mano. El haz de luz pasó a un metro de nuestro escondite. Era Ti'Bo.

—Va a hundir algún barco —me dijo Perla.

Alcé los hombros con desdén.

—¡Deja de decir tonterías! Sale a pescar de noche. Tiene muchos hijos que alimentar, es muy pobre. Abue me lo dijo. ¡Es todo menos un bandido!

Estaba disgustado. Ya no sabía por qué había aceptado salirme de la cama. Pero estaba seguro de que no iría al fondo del mar, que Perla no respiraba por la parte superior del cráneo, y que todo eso no eran sino cuentos chinos.

—Si tienes miedo de Ti'Bo —me dijo Perla—, puedes quedarte aquí.

Se puso de pie. Yo hice lo mismo.

—No tengo miedo. ¡Espérame!

Nunca había estado a la orilla del mar de noche. En la cresta de las olas aparecían destellos de luz.

—Son los ojos de los peces linterna —me dijo Perla.

Se me habían quitado las ganas de nadar hasta los abismos marinos. El viento soplaba con fuerza y yo empezaba a sentir frío. De pronto oí ruidos en la playa.

Hombres. Unos pescadores seguramente. ¿O serían unos bandidos?

Caminé dentro del agua y el mar rodeó mis tobillos. Quería regresar junto a mi Abue, acostarme debajo del mosquitero. Pero Perla ya estaba nadando lejos. Me acosté en el agua. ¡Dios mío, estaba helada! Mi corazón se hizo chiquito dentro de mi pecho.

Dos brazadas más y perdí pie. Perla había desaparecido. Se había zambullido en dirección a los abismos marinos. Entonces metí mi cara en la ola, y repetí:

"Respirar por la parte superior del cráneo, respirar por la parte superior del cráneo, respirar…"

… En los abismos marinos está más oscuro que la misma noche. Se oye un ruido espantoso de cadenas, de poleas, como una gran fábrica bajo el mar. ¡Abue, socorro! No sé respirar debajo del agua…

De pronto sentí una quemadura recorriéndome desde la boca hasta el fondo de mi vientre. Oí una voz que decía:

—¡Bebe un trago, señorcito!

Estaba en la lancha de Ti'Bo, quien me reanimaba dándome de beber ron en la boca. ❖

La perla de Pelirrojita

❖ ME DESMAYÉ bajo el agua. Ti'Bo me subió a su lancha.
Perla le había avisado.

Estaba orgulloso de mí mismo. Había estado a punto
de morir. Fingía dormir en mi hamaca. Estaba castigado,
sin nadar, sin postre, sin nada. Iba a poder refunfuñar todo
el día. Perla hacía castillos de arena al lado de su mamá.
Tenía prohibido alejarse.

—¡Estos niños! —decían Abue y la señora Perla—.
¡No se dan cuenta!

Estaban enojadas. Tenían una cantidad de desgracias que contarse.

No pudimos volver a nuestro escondite. Abue y la señora Perla querían vernos ahí todo el tiempo. Pero no importaba. Pelirrojita y yo hablábamos de los abismos marinos. Me pregunto si alguna vez estuve allá.

Al final de mes tuvimos que separarnos. Perla vive en Burdeos y yo en Orleans.

—El año próximo nos volveremos a ver —me dijo Perla—, e iremos a buscar nuestro tesoro.

Pero el año próximo estaba lejos. Yo lloraba en el avión.

Volví a la isla con Abue. Esperé a Perla. Nunca regresó. Busqué nuestro escondite. No lo volví a encontrar.

Un día que estaba paseando reconocí a Ti'Bo, me acerqué y le hablé de cuando casi me había ahogado.

—¡Ah, sí, el 'namoradito! —dijo Ti'Bo riendo—, el 'namoradito…

Le pregunté si sabía dónde estaban los tres árboles venenosos. Me contestó que los habían cortado. El círculo rojo sobre el tronco significaba que debían ser quitados.

Comprendí que lo había perdido todo. A Pelirrojita y al tesoro. Ti'Bo me puso la mano sobre el hombro:

—No llore u'té' mi niño, no llore…

Había sacado un pañuelo de su bolsillo para consolarme. Del pañuelo cayó una perla, una perla blanca y lechosa como Pelirrojita. Ti'Bo la había encontrado a la orilla del mar:

—E'to me lo dio a mí el ma'.

Ahora soy yo quien tiene la perla. Cuando Perla vuelva a la playa se la voy a regalar. ❖

Índice

Pelirrojita de Marie-Aude Murail, núm. 87 de la colección
A la orilla del viento, se terminó de imprimir en los talleres
de Impresora y Encuadernadora Progreso, S.A. de C.V. (IEPSA),
Calzada San Lorenzo núm. 244; 09830, México, D. F.
durante el mes de agosto de 2001.
Tiraje: 5000 ejemplares.